Hobby
Gewürzsträuße
und zauberhafte Gebinde nach Salzburger Art

Anneliese Ott

Hobby
Gewürzsträuße
und zauberhafte Gebinde nach Salzburger Art

FALKEN VERLAG

Inhalt

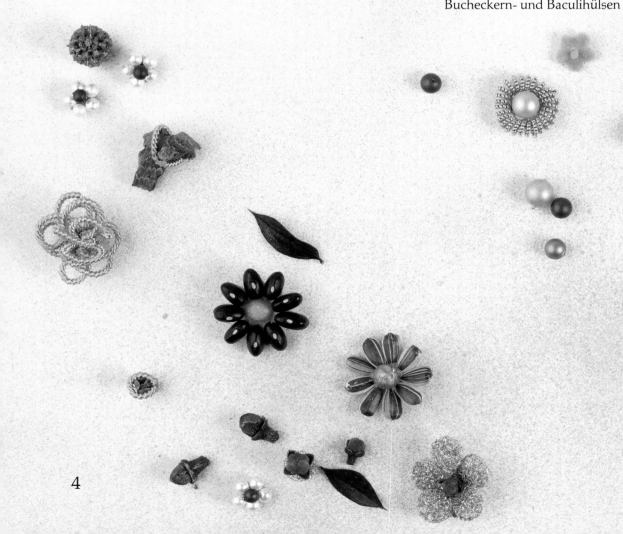

Das Gestalten der Sträuße und Gebinde

Gewürzsträuße und Gebinde

Vorwort

Ursprünglich stammen die wunderschönen und wohlriechenden Gewürzgebinde aus dem Salzburger Land. Als Hochzeitssträuße enthielten sie all das, was dem jungen Paar nie ausgehen sollte: viele Sorten Getreidekörner, Nüsse, Kerne, auch Nudeln und Gewürze aller Art.
Dazu kamen schmückende Elemente wie kleine Spiegel, die als Schutz gegen böse Geister wirken sollten.
Heute stehen diese Sträuße als Urlaubsmitbringsel hoch im Kurs. Leider auch der Preis!
In der Tat ist der Herstellungsaufwand groß, so daß die fertigen Objekte viel Geld kosten.
Ganz anders sieht es aus, wenn man sich alle Utensilien selbst zusammenstellt.
Viele Naturmaterialien wie verschiedene kleine Zapfen, Mohnkapseln oder Bucheckernhülsen findet man bei einem Spaziergang, Gewürze, Körner und Kerne bietet die eigene Speisekammer oder ein Lebensmittel- oder Gewürzladen.
In Bastelgeschäften und Kaufhäusern ist dazu eine große Auswahl schmückender Elemente und auch das richtige Werkzeug zu finden.

‚Aller Anfang ist schwer‘, deshalb sollte man sich zunächst eine kleine Arbeit vornehmen. Mit einem Sträußchen kann man ein Geschenk verzieren, mit einem einfachen Kerzenkränzchen wird ein festlicher Tisch noch etwas festlicher. Nach kleinen Probearbeiten gelingt auch ein prachtvoller Strauß oder ein wohlriechendes Bäumchen ganz sicher. Nötig ist dazu nur etwas Geduld. Der Spaß an der Bastelarbeit wird gewiß nicht ausbleiben. Und wenn Ihr erstes Werk fertig ist und auf einer Kommode oder als Wandschmuck einen gebührenden Platz gefunden hat, werden Sie sich täglich über Ihre Arbeit freuen – wenn Sie sich nicht überreden lassen, Ihr Schmuckstück zu verschenken.
Dieses Buch vermittelt alle Techniken und Arbeitsschritte und zeigt viele Modelle, die genau nachgearbeitet werden können. Doch würde es mich freuen, und in diesem Sinn sind meine Anregungen gedacht, wenn Sie Ihrer Phantasie freien Raum geben und eigene Ideen verwirklichen.

Anneliese Ott

Material und Technik

Auf den folgenden Seiten wird ein Überblick über alle Pflanzen, Gewürze und Körner gegeben, die bei den im Buch gezeigten Arbeiten verwendet wurden.
Nicht alle diese Materialien müssen Sie kaufen. Stellen Sie sich eine Auswahl zusammen, mit der Sie Ihr erstes Gebinde gestalten wollen. Die Hilfsdrähte sind in allen Arbeitszeichnungen farblich gekennzeichnet.

Kupferdraht = orange

Myrtendraht = blau

Wickeldraht = grün

Das Werkzeug

① **Kreppwickelband,**
grün oder braun, alle Drahtstiele werden damit umwickelt.

② **Myrtendraht,**
grün oder braun, zum Andrahten der verschiedenen Zapfen und größeren Gewürzstücke und zum Binden der Sträuße.

③ **Kupferdraht,**
damit wird Myrtendraht angewickelt, Bouillonverzierungen bei Nelken oder Perlen werden auf diesen sehr feinen Draht aufgezogen.

④ **Wickeldraht,**
0,7 mm stark ist dieser Draht, der als Stiel an alle Materialien angedrahtet wird, die zu größeren Ge-

binden und Gestecken verwendet werden.

⑤ **Kontaktkleber,**
Körner und Kerne werden damit aufgeklebt und angedrahtete Teile in Hartschaumkugeln befestigt.

⑥ **Leimgranulat,**
das in einem Pfännchen geschmolzen wird und sich gut zum Ankleben kleiner Stielchen eignet, da es sehr schnell trocknet.

⑦ **Heißklebepistole,**
sie wird mit kleinen Stangen Leim gefüllt, die die gleichen Eigenschaften haben wie das Leimgranulat.

⑧ **Schere,**
⑨ **Schaschlikspieß,**
⑩ **Rouladennadel,**
⑪ **Pinzette,**

Hilfsmittel, die man beim Herstellen der Blüten und beim Aufkleben der Körner benutzt.

⑫ **Seitenschneider,**
damit werden alle Drähte geschnitten. (Eine Haushaltsschere reicht am Anfang für diesen Zweck aus.)

⑬ **Flachzange,**
eine kleinere und eine größere Flachzange liegen hier nebeneinander. Mit der Flachzange wird Wickeldraht angebogen.

⑭ **Rundzange,**
damit werden Ösen aus Wickeldraht gebogen (Zange ist mit Seitenschneider kombiniert).

⑮ **Zentimetermaß,**
zum Abmessen der Drähte.

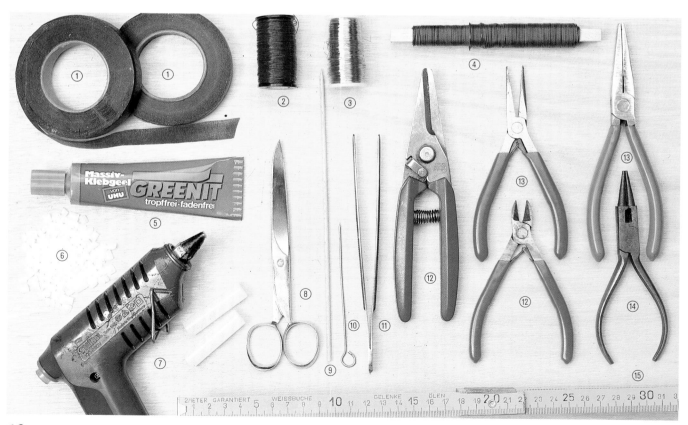

Schmückende Elemente

① **Plombendraht,**

② **Perldraht,**

③ **Bouillondraht,**
in verschiedenen Stärken, Glatt-, Rundkraus- und Zackenkraus-bouillon, gold- und silberfarben. Diese Drähte sind Schmuck und Befestigung für Blüten und Gewürze.

④ **Pailletten, Perlen,**
in vielen Größen und Farben für Verzierungen und Perlblüten.

⑤ **Spiegel,**
kleine Spiegel in verschiedenen Größen und Formen.

⑥ **Stoffblätter,**
aus Velour, Atlasseide und Brokat in vielen Farben und Größen.

⑦ **Stoffblüten,**
aus Velour und Seide.

⑧ **Manschetten,**
Leinen-, Spitzen- und Papierman-schetten. Ein hübscher Abschluß für jeden Strauß.

⑨ **Stoff,**
kleingemusterter Stoff für Stoff-blüten.

⑩ **Rohlinge,**
aus verschiedenen Materialien. Aus Draht, um Herzen oder Kränze zu binden, Hartschaumkugeln für Gewürzkugeln und Bäumchen, Pappformen für Anhänger und Wandschmuck.

⑪ **Bänder,**
aus Leinen, Samt und Brokat, damit werden Sträußchen und Gebinde geschmückt, Kugeln und Anhänger befestigt oder Formen beklebt.

11

Natürliche Materialien

① grüner und brauner Ruskus,
② Statizen,
③ getrocknete Gräser,
④ Bucheckernhülsen,
⑤ gebleichte und naturbelassene
  Baculihülsen,
⑥ Erlenzapfen,
⑦ Casuarinazapfen,
⑧ 4 Eukalyptusarten,
⑨ Eicheln,
⑩ Schuppenhagebutten,

⑪ Stangenzimt,
⑫ Sternanis,
⑬ Gewürz- und Bastelnelken,
  (Gewürznelken sind kleiner)
⑭ Galgantwurzel,
⑮ Ingwerwurzel,
⑯ verschiedene Mohnkapseln,
⑰ Hasel- und Muskatnuß,
  (bereits angedrahtet im Bastelgeschäft gekauft)
⑱ Lorbeerblatt,
⑲ Cashewkerne,
⑳ Schwarzbeeren,
㉑ Nudeln,
㉒ weißer und brauner
  Kandiszucker,

23 goldgefärbte Kürbiskerne,
24 goldgefärbte und schwarze Wacholderbeeren,
25 Pimentkörner,
26 halbierte grüne und gelbe Erbsen,
27 rotgefärbter und gelber Mais,
28 gelbe Hirse,
29 Vogelropsen,
30 weißer Pfeffer,
31 Gleditia,
32 Senfkörner,
33 rote Hirse,
34 weißer Sesam,
35 Mohn,

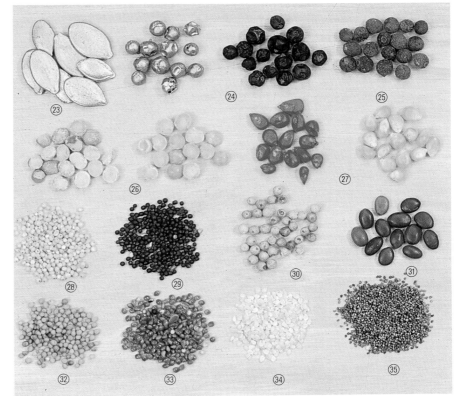

36 weiße und schwarze Bohnen,
37 Bambusbohnen,
38 rote und grüne Sojabohnen,
39 Käferbohnen,
40 braune Bohnen,
41 Ölweide,
42 Akazienkerne,
43 Esparsettesaat,
44 Leinsamen,
45 Gerste,
46 Hafer,
47 Sonnenblumenkerne,
48 rote Melonenkerne,
49 braune Melonenkerne,
50 Gurkenkerne,
51 grüne Kürbiskerne,
52 weiße Sonnenblumenkerne,
53 weiße Kürbiskerne.

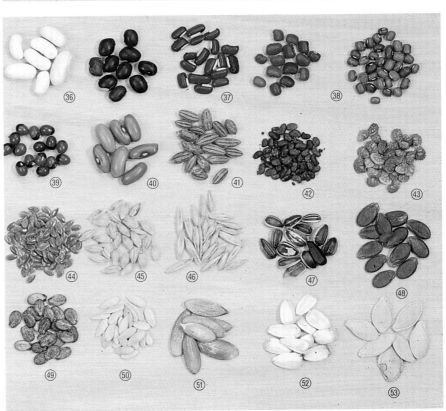

13

Das Vorbereiten der Materialien

Ruskus

Getrockneter Ruskus ist in vielen Braun- und Grüntönen erhältlich. Durch die kleinen, schön geformten Blättchen füllt er Lücken und lockert die Form von Sträußen und Gestecken auf.

Ruskus sollte nicht in geheizten Räumen aufbewahrt werden, da er leicht spröde und brüchig wird. Ist er zu trocken geworden, legt man ihn bei feuchtem Wetter ein paar Tage auf die überdachte Terrasse oder den Balkon.

Das Andrahten

Für Sträuße und Gebinde werden kleine Ruskussträußchen zusammengefaßt und mit einem Drahtstiel versehen.

Dazu wird ein größerer Ruskuszweig mit der Schere in 3 bis 4 cm lange Stücke geschnitten. 2 bis 3 dieser Ästchen werden zu einem kleinen Strauß zusammengefaßt. Ein Stück Wickeldraht bildet den Stiel. Ein Ende des Wickeldrahts wird etwa 2 cm rechtwinklig abgebogen. Mit Kupferdraht werden Stielchen und Wickeldraht einige Male umwickelt.

Das abstehende Ende des Wickeldrahts wird mit einer Flachzange fest an die Stiele gedrückt. Ruskusstiele, Drahtstiel und umgebogenes Drahtende werden dann noch mehrmals mit Kupferdraht umwickelt. Dabei wird der Kupferdraht von der Spule abgerollt. Erst wenn alles fertig gewickelt ist, wird der Draht abgeschnitten. So entstehen nie Abfälle.

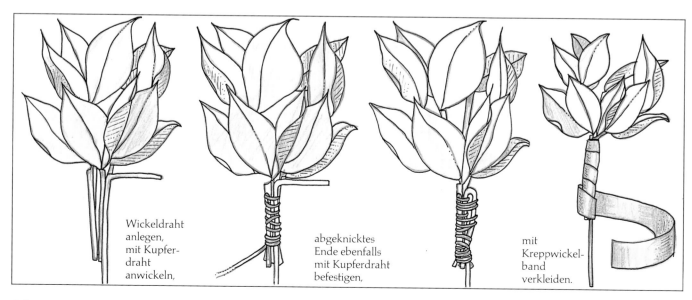

Wickeldraht anlegen, mit Kupferdraht anwickeln,

abgeknicktes Ende ebenfalls mit Kupferdraht befestigen,

mit Kreppwickelband verkleiden.

Die Länge des Wickeldrahtes richtet sich nach der Größe des geplanten Gebindes. Für kleine Sträußchen genügen 8 bis 9 cm, für größere kann der Draht bis zu 20 cm lang sein.

Bei Ministräußchen reicht der dünnere Myrtendraht.

Die Stiele aller fertig angedrahteten Sträußchen werden mit Kreppwickelband verkleidet. Das Kreppwickelband ist so präpariert, daß die Stiele gut aneinander haften und beim Binden nicht verrutschen. Bevor man mit der eigentlichen Arbeit des Bindens oder Steckens beginnt, sollten immer genügend dieser Ruskussträußchen präpariert werden. Für ein kleines Gebinde benötigt man etwa 40, für große 100 und mehr.

Ein Hartschaumblock dient zum Trocknen und Aufbewahren der Blüten und Ruskussträußchen. Auch Keramikbecher oder -krüge sind wegen ihrer Standfestigkeit gut geeignet.

Statizen

Ruskus wird wohl in den meisten Fällen als Füllmaterial verwendet. Will man einmal etwas anderes probieren, so sind Statizen zu empfehlen. Sie sind getrocknet, in ihrer Naturfarbe oder gefärbt, in Blumen- und Bastelläden erhältlich. Genau wie beim Ruskus werden kleine Sträußchen von 3 bis 4 cm Länge zusammengefaßt und an Wickeldraht angedrahtet.

Nach dem Anstielen werden die Stiele noch mit Kreppwickelband umbunden.

Gräser

Die zarten Blütenrispen von Wiesengräsern passen zu kleinen Gebinden. Ihre Haltbarkeit ist jedoch nicht so groß, da sie leicht ihre winzigen Blättchen verlieren oder die zarten Stielchen geknickt werden. Auch Gräser werden zunächst zu Sträußchen gebunden und bekommen dann einen Drahtstiel.

Gewürznelken

Der angenehme, intensive Duft räumt den Gewürznelken einen besonderen Platz ein: Sie fehlen in kaum einem Gebinde. Sind die Köpfe der Nelken abgebrochen, so kann man auf den Stiel mit den Zacken ein Piment oder eine Perle kleben und zusätzlich mit Bouillon verzieren.

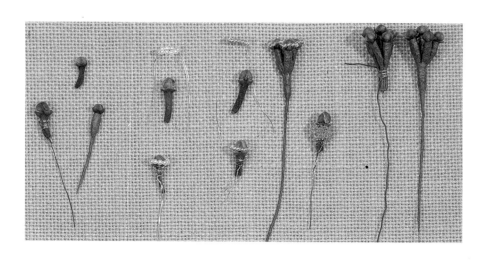

Das Andrahten

Nelken werden meist zuerst mit der gewünschten Verzierung geschmückt und erst zuletzt an Wickeldraht gebunden.
Nelken, die ein Sträußchen bilden sollen oder als Blütenstempel verwendet werden, befestigt man an Myrtendraht.

Bouillonkrause

Der Nelkenstiel wird mit ausgezogenem Bouillondraht einige Male nicht zu fest umwickelt, so daß eine Krause entsteht, die etwas größer ist als der Nelkenkopf.

Bouillonkränzchen

Soll ein Kränzchen um die Nelke gelegt werden, mißt man mit dem Bouillondraht den Umfang (Nelken können sehr verschiedene Größen haben) und schneidet das benötigte Stück Bouillon ab.

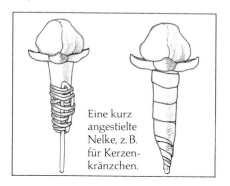

Eine kurz angestielte Nelke, z. B. für Kerzenkränzchen.

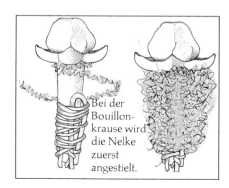

Bei der Bouillonkrause wird die Nelke zuerst angestielt.

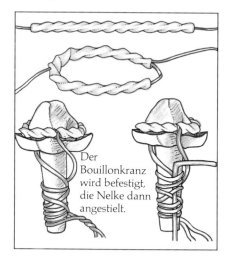

Der Bouillonkranz wird befestigt, die Nelke dann angestielt.

Nelkensträußchen

Bindet man 3–7 Nelken zu einem Sträußchen, brauchen die einzelnen Nelken nur ein etwa 3 cm langes Stielchen aus Myrtendraht. Sie werden einige Male mit Kupferdraht zusammengebunden. Dann wird ein Wickeldraht als langer Stiel dazugebunden. Mit Kreppwickelband wird zuletzt gesäubert.

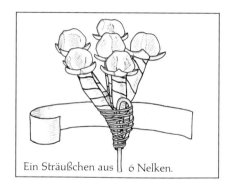

Ein Sträußchen aus 6 Nelken.

Durch dieses Stückchen wird ein Kupferdraht gezogen, zu einem Ring gebogen und nochmals bis zur Hälfte durch den Bouillonring gezogen. Der Ring wird auf den Nelkenkopf gelegt, die Enden des Kupferdrahts werden nach unten gebogen und gegeneinander um den Nelkenstiel gewickelt.

Stangenzimt

Als Gewürz wird Zimt meist schon pulverisiert gekauft. Für Gewürzgestecke wird Stangenzimt verwendet, der vorsichtig in 2 bis 3 cm lange Stücke gebrochen wird.

2 Zimtstücke

Soll die Bruchstelle des Zimts im Gebinde sichtbar sein, werden 2 unterschiedlich lange Zimtstücke mit Kupferdraht zusammengebunden. An die Drahtenden wird ein abgeknickter Wickeldraht gebunden, mit der Flachzange wird das abgeknickte Ende an den Stiel gedrückt und mit Kupferdraht umwickelt. Zuletzt werden die Drähte sauber mit Kreppwickelband verdeckt.

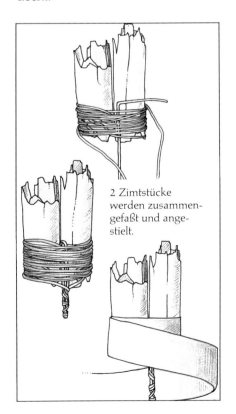

2 Zimtstücke werden zusammengefaßt und angestielt.

Andrahten mit Bouillon

Ein etwa 1,5 cm langer Bouillondraht wird auf einen Myrtendraht gezogen. Die Drähte werden um die Mitte des Zimtstücks gelegt und die Drahtenden zu einem kleinen Stielchen verdreht.
Für kleine Gebinde reicht das Myrtenstielchen, das noch mit Kreppband gesäubert wird. Braucht man einen stabileren Stiel, wird Wickeldraht angebunden.

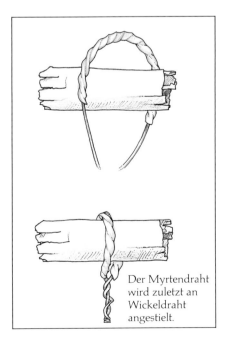

Der Myrtendraht wird zuletzt an Wickeldraht angestielt.

Andrahten mit Bouillon und Perle

4 knapp 1 cm lange Bouillondrahtstücke werden zugeschnitten. Davon werden 2 auf 2 Myrtendrähte geschoben. Eine Perle wird über beide Myrtendrähte gefädelt. Die Drähte werden etwas auseinandergebogen und wieder mit jeweils einem Bouillonstück versehen. Die Verzierung legt man um das Zimtstück und verzwirbelt die Myrtendrähte.

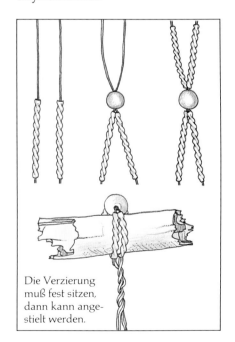

Die Verzierung muß fest sitzen, dann kann angestielt werden.

Mohnkapseln

Die vielen Mohnarten bringen auch sehr verschiedene Samenkapseln hervor. Die Kapseln heimischer Arten kann man im Sommer an Feldrändern und auf Wiesen finden.

Da die Mohnstiele leicht brechen, müssen die Kapseln oberhalb der leichten Stielverdickung mit Wikkeldraht angedrahtet werden. Der Mohnstiel selbst wird nach dem Andrahten unterhalb der Umwicklung abgeschnitten.

Beschädigte Kapseln können auch verwendet werden: Mit einem feinen, scharfen Sägemesser wird die obere Kapselhälfte abgeschnitten, so daß das hübsche, fächerförmige Innere sichtbar ist.

Verzierungen

Die Mohnkapseln lassen sich auf verschiedene Art verzieren. So kann man einen Ring aus Perlen um die Kapsel legen. Entsprechend dem Umfang werden Perlen auf einen Kupferdraht gefädelt und unter dem Schirmchen um die Kapsel gelegt. Die Drahtenden werden verzwirbelt, auf 2–3 mm gekürzt und unter den Perlring gebogen. Verschönern läßt sich die Kapsel auch mit leicht ausgezogenem Bouillondraht, den man kreuzförmig über das Schirmchen spannt. Anfang und Ende des Drahtes werden an der Kapsel festgeklebt.

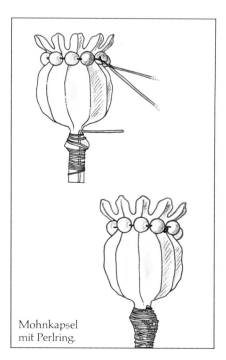

Mohnkapsel mit Perlring.

Mohnkapsel mit Bouillonverzierung.

18

Sternanis

Der Sternanis ist etwas schwieriger zu verarbeiten, denn selten findet man ihn in kompletten und dazu noch gleichmäßigen Sternen. Wirklich schöne Sterne können aus den Bruchstücken zusammengesetzt werden. Man sammelt in Größe und Form zueinander passende Teile und klebt sie zu gleichmäßigen Sternen zusammen.

Eine Zacke wird eingeklebt.

Verzierungen

Die Sterne können mit Bouillondraht oder Perlen verziert werden. 2 Stücke Bouillondraht werden auf 2 längere Stücke Kupfer- oder Myrtendraht gezogen und kreuzförmig angeordnet über den Anisstern gelegt.

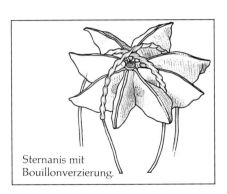

Sternanis mit Bouillonverzierung.

Die Drahtenden werden nach unten gebogen und an der Unterseite des Sterns zu einem Stielchen zusammengedreht.

Der Myrtendrahtstiel wird noch an Wickeldraht gebunden.

Geschmückter Stern

Für einen Perlenschmuck nimmt man 6 Perlen von je 3 mm Stärke, fädelt sie auf einen Kupferdraht und verdreht dessen Enden miteinander.
Dann schneidet man aus Kupferdraht 3 Stücke in der Länge von jeweils 10 cm zu, biegt sie in der Mitte und hängt die so entstandenen Krampen gleichmäßig verteilt in den Ring ein.
Diesen Perlenkranz legt man auf den Sternanis und verdreht die Krampen an der Unterseite zu einem kleinen Stiel, der in üblicher Weise zum Andrahten verwendet werden kann.

Sternanis mit Perlenschmuck.

Ingwer

Ingwerstücke werden genau wie Zimt mit bouillonverziertem Myrtendraht befestigt. Sind die Ingwerstücke zu groß, bricht man sie in passende Stücke. Ingwer wird in Sträußen nur sparsam verwendet und meist nicht weiter verziert.

Verzierung

Ein Stückchen Bouillon entsprechend der Größe des Ingwers wird auf Myrtendraht aufgefädelt und über den Ingwer gelegt. Die Drahtenden werden nach unten gebogen, zusammengedreht und an Wickeldraht angedrahtet.

Galgantwurzel, dem Ingwer verwandt, Nudeln und Zucker werden genauso behandelt.

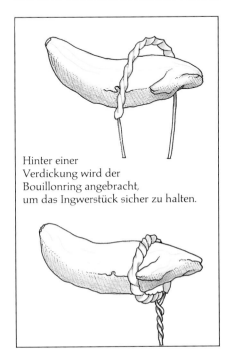

Hinter einer Verdickung wird der Bouillonring angebracht, um das Ingwerstück sicher zu halten.

19

③ Erlenzapfen

Alle kleinen Zapfen wie Erlenzapfen werden mit ihrem natürlichen Stielchen an Wickeldraht gebunden.

Ist der natürliche Stiel nicht mehr vorhanden, wird ein Myrtendraht zwischen die unteren Schuppen gelegt, zusammengedreht, nach unten gebogen und daran ein Stiel aus Wickeldraht angebracht.

⑦ Bucheckern- und ⑤ Baculihülsen

Um 2 Zacken der Hülsen (3 oder 4 Zacken sind vorhanden) wird Myrtendraht gelegt, nach unten gebogen, verdreht und angestielt.

⑥ Eukalyptus und ⑧ Eicheln

In die natürliche Kerbe des Eukalyptus oder oberhalb der Verdikkung der Eichel wird eine Myrtendrahtschlaufe gelegt. Auf der gegenüberliegenden Seite wird ein zweites Stück Myrtendraht eingehängt und zusammengedreht. Die Drahtenden werden nach unten gebogen und angedrahtet.

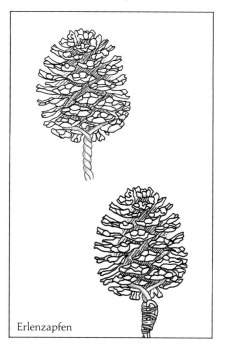

Erlenzapfen

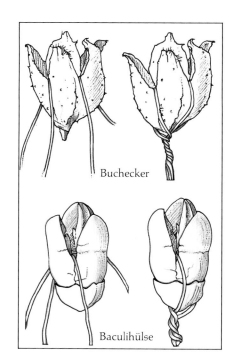

Buchecker

Baculihülse

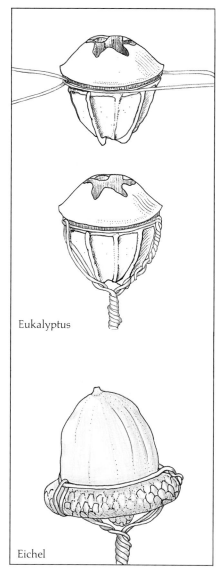

Eukalyptus

Eichel

④ Casuarinazapfen

Sie haben fast nie einen natürlichen Stiel und auch keine Schuppen zur Befestigung. Ein Myrtendraht wird kreuzförmig um die Zapfen gelegt, die 4 Enden zusammengedreht und mit Wickeldraht angestielt.

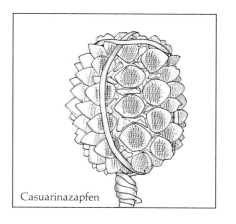

Casuarinazapfen

① Lorbeerblätter

Mit Lorbeerblättern kann man einem Wandgebinde einen hübschen Rand geben.
Beim Andrahten muß man vorsichtig sein, da die Blätter leicht brechen. Sollte ein Lorbeerblatt keinen Stiel mehr haben, so schneidet man links und rechts der Hauptrippe etwas Blattgrün weg. So entsteht ein kleines Stielchen, das wie üblich an Wickeldraht angedrahtet wird.

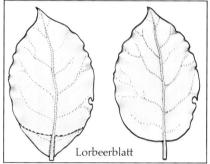

Lorbeerblatt

⑨ Schwarzbeeren

Sie haben ein natürliches Stielchen, das eine Verlängerung durch einen Wickeldraht bekommt.

⑩ Hasel- und Muskatnüsse

Da das Andrahten von Nüssen nicht nur schwierig, sondern wegen ihrer Härte auch gefährlich ist, ist zu empfehlen, sie bereits angedrahtet im Bastelgeschäft zu kaufen.

② Schuppen- hagebutten

Mit einer Rouladennadel wird ein Loch in den unteren Teil der Frucht gestochen. Ein Myrtendraht wird hindurchgezogen, nach unten gebogen, zusammengedreht und an Wickeldraht gebunden.

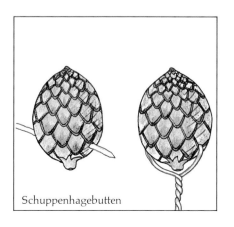

Schuppenhagebutten

Geklebte Blüten

Auf Pappscheiben geklebt, werden aus vielen Sorten von Körnern und Kernen reizvolle Phantasieblüten. Gut geeignet sind Gurken- und Sonnenblumenkerne, Mais und Getreidekörner. Große Kerne, wie vom Kürbis, sollte man sparsam verwenden, sie wirken in kleinen Sträußen zu grob.

Aus dünnem Karton oder Tonpapier werden runde Scheiben geschnitten. Die Größe eines 2-Pfennig-Stücks ist ein Richtwert. Dieses Geldstück läßt sich auch gut als Schablone benutzen.

Für eine Gewürzblüte braucht man jeweils 2 gleiche Scheiben, von denen eine in der Mitte mit einer Stopfnadel durchstochen wird. Durch das Loch steckt man einen Draht, dessen Ende vorher mit einer Rundzange zu einer Öse gebogen wurde. Beide Scheiben werden mit Kleber bestrichen und aufeinander gedrückt. So hat man eine stabile Konstruktion.

Darauf klebt man nun die Körner oder Kerne. Mit einer Pinzette sind die kleinen Teile leichter zu fassen. Eine halbe Erbse, Piment oder Wacholderbeeren bilden die Mitte. Als Mittelpunkt kann auch ein dikker Tropfen Kleber, den man auf der Pappscheibe etwas antrocknen läßt, in kleine Samen getaucht wer-

Auf einen Unterbau aus Pappscheiben werden einzelne Gewürze und Körner geklebt.

den. Drumherum plaziert man Stück für Stück mit einem Tupfer Kleber die ‚Blütenblättchen'. Mit einem Zahnstocher lassen sich unregelmäßig aufgesetzte Teile noch verschieben.

Die noch sichtbare Pappe am Blütenrand wird mit einer spitzen Schere herausgeschnitten. Der Drahtstiel der fertigen Blüte wird mit Krepp gesäubert.

Gerade bei diesen geklebten Blüten sind in Farbe und Form viele Variationen möglich. Spontan kann man Muster oder Blattformen entwerfen oder sich an natürlichen Blüten orientieren und z. B. eine Gerbera- oder Kamillenblüte nacharbeiten.

Gewürzkugeln

Alle sehr kleinen Samen und Körner wie Mohn, Sesam, Hirse, Senfkörner und Leinsamen eignen sich für Gewürzkugeln. Gepreßte Wattebällchen, die es im Bastelgeschäft in verschiedenen Größen zu kaufen gibt, werden mit einem Stiel versehen. In das Loch des Bällchens wird die Schlaufe eines Wickeldrahts geklebt.

Die Wattekugel wird dann mit Kleber bestrichen und in einem Gewürz so lange gedreht, bis alle Stellen bedeckt sind. Die Körner werden fest angedrückt und die Kugel dann zum Trocknen aufgesteckt.

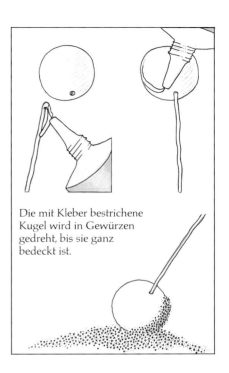

Die mit Kleber bestrichene Kugel wird in Gewürzen gedreht, bis sie ganz bedeckt ist.

23

Blüten aus Bouillondraht

Eine Blüte aus einzelnen Blättern

Aus Plombendraht und Bouillon werden einzelne Blütenblätter geformt: Über einem runden Bleistift wird eine Schlaufe aus Plombendraht gebogen, die Enden mit der Flachzange zusammengedreht und auf 2 cm gekürzt. Dieses Blütenblatt kann rund bleiben oder oval geformt werden. Mit auseinandergezogener Bouillon wird es dann kreuzweise bewickelt, bis die freie Mitte der Schlaufe schön ausgefüllt ist. Anfang und Ende der Bouillon werden um den Blattstiel gedreht. Die einzelnen Blätter werden rechtwinklig abgeknickt. 3 oder 5 dieser Blättchen bilden eine Blüte. Blütenstempel können auf Draht gefädelte Perlen oder eine eingefaßte Nelke sein. Die Drahtenden der Blütenteile wickelt man mit Kupferdraht zusammen. Ein stabiler Wickeldraht kommt hinzu und zuletzt wird mit Kreppwickelband gesäubert.

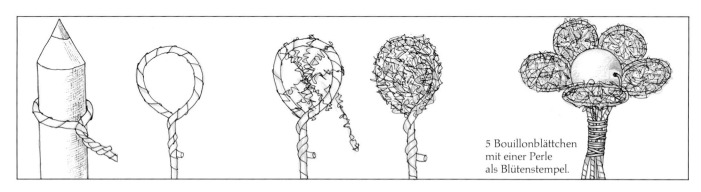

5 Bouillonblättchen mit einer Perle als Blütenstempel.

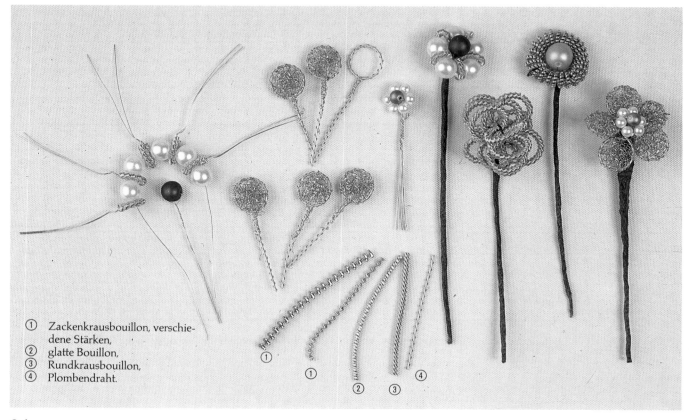

① Zackenkrausbouillon, verschiedene Stärken,
② glatte Bouillon,
③ Rundkrausbouillon,
④ Plombendraht.

24

Phantasieblüte

Auf Myrtendraht wird ein etwa 20–25 cm langes Stück Bouillon gefädelt und diese Drähte um einen Bleistift herum zu einer Spirale gewickelt. Ein weiterer Myrtendraht wird durch die Spirale gesteckt. Mit Daumen und Zeigefinger wird die Spirale dann zusammengedrückt und die 4 Myrtendrahtenden werden fest verzwirbelt. Die Ringe der Spirale biegt man so auseinander, daß eine Blüte entsteht.

Zum Schluß wird wieder der Wickeldrahtstiel angebracht und mit Kreppwickelband umbunden.

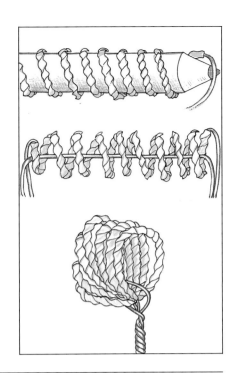

Blüte aus Perldraht

Ein etwa 15 cm langes Stück Perldraht wird mit Myrtendraht durchzogen. Um einen Schaschlikspieß werden die Drähte dann zu einer Spirale gebogen.

Diese Spirale formt man zu einem Ring und schiebt einen zweiten Myrtendraht hindurch, jeweils ein Ende bis zur gegenüberliegenden Seite. So kommen zwei Drahtenden rechts und zwei links aus dem Perldrahtring. Diese Enden werden verzwirbelt und nach unten gebogen.

Eine angedrahtete Perle wird in die Mitte gesteckt und alle Drähte zu einem Blütenstiel gedreht. Ein Wickeldraht wird als Stiel angedrahtet und mit Kreppwickelband umbunden.

Der Myrtendraht wird zu einem Ring geschlossen, ein Blütenstempel und ein Wickeldrahtstiel kommen hinzu.

Eine Perldrahtblüte.

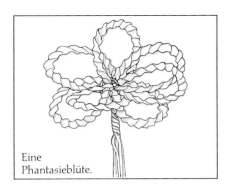

Eine Phantasieblüte.

Perlblüte mit Bouillonverzierung

Je nach Perlgröße werden bis zu 1 cm Bouillon auf Kupferdraht gefädelt und zu einem Ring zusammengedreht.

5 Bouillonringe und 5 Perlen fädelt man abwechselnd auf Kupferdraht und schließt diesen Blütenkranz. Dazu kommt noch ein Blütenstempel. Die Kupferdrähte werden nach unten gebogen, zusammengedreht und wie üblich angedrahtet.

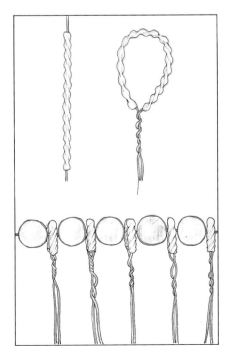

Spiegel

Kleine Spiegel dürfen in einem Salzburger Gewürzstrauß traditionell nicht fehlen: Ihnen wurde die Kraft zugeschrieben, böse Geister abwehren zu können.

In Bastelgeschäften kann man Spiegelchen in verschiedenen Formen und Größen kaufen.

2 Pappscheiben werden nach der Form des Spiegels mit 2–3 mm Zugabe zugeschnitten. Die Scheiben werden angedrahtet (wie S. 22 beschrieben und die Spiegelchen darauf geklebt.

Verzieren kann man sie mit einem Kranz aus Perlen oder Bouillondraht. Auf ein Stück Kupferdraht werden Bouillon oder kleine Perlen gezogen, in einer Länge, die dem Umfang des Spiegels entspricht. Die Kupferdrahtenden werden verzwirbelt, kurz abgeschnitten und nach unten gebogen.

Diese Verzierung wird um den Spiegel herum auf die Pappscheibe geklebt. Der noch überstehende Papprand wird nach dem Trocknen des Klebers abgeschnitten.

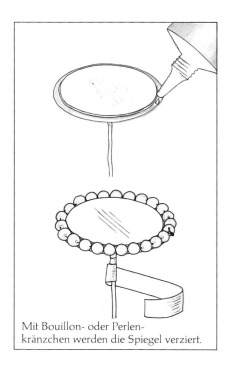

Mit Bouillon- oder Perlenkränzchen werden die Spiegel verziert.

Ein stabiler Stiel für alle Blüten

Sind Gewürzblüten, Blätter oder Verzierungen mit leichtem Myrten- oder Kupferdraht befestigt, so wird ein fester Wickeldraht angebracht.

Ein Endes des Wickeldrahts, der zwischen 8 und 20 cm lang sein kann, je nach Größe des geplanten Gebindes, wird 1–2 cm rechtwinklig abgebogen. Der Wickeldraht wird mit Kupferdraht an die Blütendrähte gewickelt, das abgewinkelte Ende wird dazugebogen und auch einige Male mit umwickelt. Der Kupferdraht wird direkt von der Rolle verwendet, so daß es keine Abfälle gibt.

Zuletzt wird der Blütenstiel aus Draht mit Kreppwickelband, das eine leicht klebrige Oberfläche hat, sauber umwickelt.

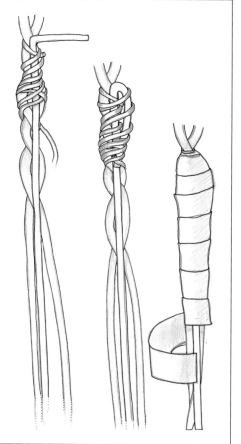

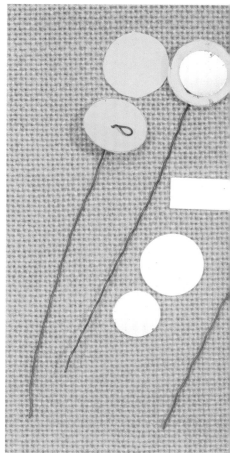

Blüten aus Perlen

Perlen sind in verschiedenen Größen und Farben zu bekommen. Die Größe der einzelnen Perlen und die Anzahl bestimmen auch die Größe der fertigen Blüte. Hat man einen kleinen Vorrat verschiedener Größen und Farben, kann man die Blütenstempel der Perlblüten farblich abheben oder eine etwas größere Perle verwenden.

Perlblüte und Sträußchen

5 oder 6 Perlen werden auf Kupferdraht gefädelt, die Drahtenden verzwirbelt und nach unten gebogen. 2 weitere Kupferdrahtstücke werden als Krampen in den Perlring eingehängt und kurz verzwirbelt, so daß 3 Kupferdrahtstielchen die Blüte halten. Eine einzeln angedrahtete Perle oder eine verzierte Nelke wird als Blütenstempel in die Ringmitte genommen und mit den anderen Drahtenden zu einem Stielchen zusammengedreht. Für kleinere Sträuße reicht diese Stielstärke aus, für größere wird die Perlblüte noch an Wickeldraht befestigt und mit Krepp umwickelt.

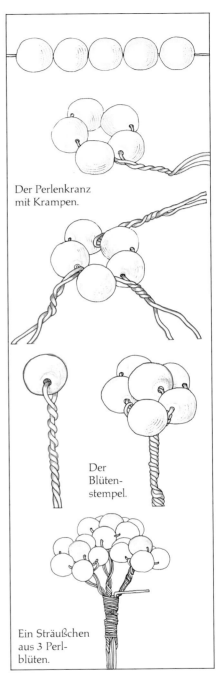

Der Perlenkranz mit Krampen.

Der Blütenstempel.

Ein Sträußchen aus 3 Perlblüten.

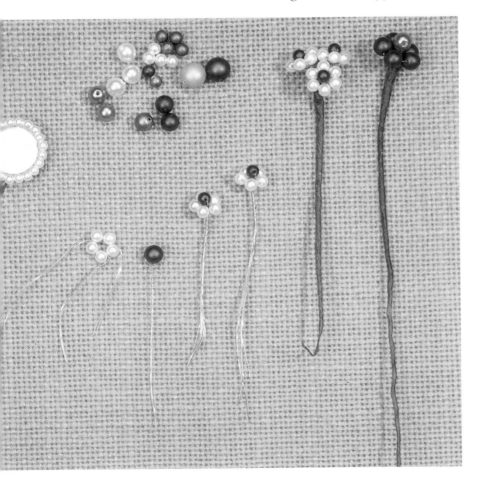

3 solcher Perlblüten kann man zu einem Blütensträußchen zusammenfassen. Dazu werden die einzelnen Blüten mit ihren Kupferdrahtstielchen an einen Wickeldraht gebunden.

27

Blüten aus Stoff

Zur Herstellung kleiner Stoffblüten braucht man einen kleingeblümten Stoffrest, der farblich zu dem geplanten Gebinde paßt, Perl- und Myrtendraht.

Der Perldraht wird abgemessen, indem er zu einer Schlaufe gelegt wird, die das Stoffmuster gut zur Geltung bringt. Für eine Stoffblüte benötigt man 5 gleichlange Perldrahtstücke. Durch jedes Stück wird ein Myrtendraht gezogen und dessen Enden zu einem 2 bis 3 cm langen Stielchen gedreht. Diese Perldrahtschlaufen streicht man einseitig mit Kleber ein und klebt sie auf das entsprechende Stück Stoff. Ist der Kleber angetrocknet, wird das Stoffblatt um die Schlaufe ausgeschnitten.

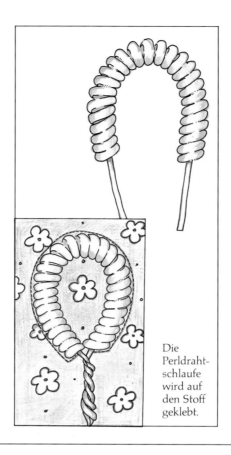

Die Perldrahtschlaufe wird auf den Stoff geklebt.

5 Blättchen bilden die Blüte.

Die Blütenblätter werden noch umgebogen und dann 5 Stück mit Kupferdraht zu einer Blüte zusammengebunden.

Mehrere kleine oder eine große Perle bilden den Blütenstempel. Zum Schluß bekommt die Stoffblüte einen stabilen Stiel aus Wikkeldraht und Kreppwickelband.

Schleifen

Sträuße und Gebinde erhalten durch eine Schleife noch einen Farbakzent und eine reizvolle Auflockerung.

Auch Schleifen werden aus angedrahteten Einzelteilen zusammengesetzt, damit sie fest und gleichmäßig am Gebinde sitzen.

Aus Schleifenband wird eine Schlaufe gelegt, die mit Kupferdraht zusammengebunden und dann wie üblich angedrahtet wird. Die Bänder, die schräg geschnitten werden, damit sie nicht ausfransen, werden ebenso befestigt.

2, 3 oder mehr Schlaufen und 2 oder mehr Bänder kann man zu einer Schleife zusammenfügen, wobei die einzelnen Schlaufen und Bänder auch eine unterschiedliche Länge haben können.

Farbe, Größe und Stoffart der Schleifen wird passend zum Gebinde gewählt: Feine Stoffschleifen, die mit den Farben der Perl- oder Stoffblüten harmonieren, geben kleinen Sträußen und Kränzchen einen zarten Charakter.

Samtschleifen sehen zu allen Gewürzarbeiten gut aus. In der Farbe können sie auf die Manschette oder die Blüten abgestimmt sein oder in den Naturtönen der Gewürze gewählt werden. Rustikale Bänder passen zu großen Gebinden oder Arbeiten mit vielen Naturmaterialien.

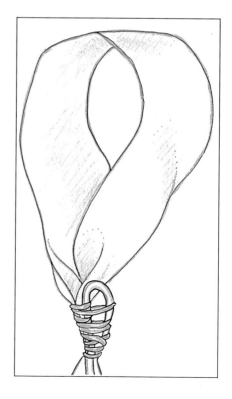

Wo bekommt man was?

Die meisten ‚Zutaten' zu einem Gebinde in Salzburger Art sind in Bastelläden oder -abteilungen erhältlich. Viele Gewürze sind schon vorbereitet, und man erspart sich mühevolle Kleinarbeit, wenn man sie fertig kauft, z. B. bei Nüssen, deren Andrahten schwierig und etwas gefährlich ist.

Auch die künstlichen Blüten und Hilfsmittel wie Hartschaumkugeln, Wattebällchen oder Perlen in vielen Farben sowie Werkzeuge und Kleber werden in Bastelgeschäften angeboten.
Es lohnt sich auch, die Gewürzläden und -regale in Lebensmittelgeschäften anzuschauen. Dort findet man Zimt, Ingwer, Nelken und die verschiedenen Körner.

Auch Ruskus, Statizen, Lorbeer, Zapfen und ausgefallene Rinden oder Wurzeln, die für ein Bäumchen oder ein Gesteck die passende Grundlage bilden, sind dort erhältlich. Kleine Zapfen, Eicheln oder Bucheckernhülsen kann man bei einem Spaziergang selber sammeln. Die eigene Phantasie ist auch hier der richtige Wegweiser, um schöne Materialien zu finden.

Das Gestalten
der Sträuße und Gebinde

Kleine Sträußchen oder Buketts, die als Verzierungen oder Anstekker dienen. Sie werden entweder gebunden oder die Einzelteile werden direkt auf ein Objekt geklebt.

Sträuße für Vasen mit verschiedenen Rundungen.

Kränze und Girlanden, aus den Gewürzzutaten gebunden.

Gestecke in freier Form.

Kugeln und Bäume, die in Hartschaumkugeln gesteckt und geklebt werden.

Wandgebinde, wie Sträuße gebunden, doch nur eine halbe Rundung.

Wandschmuck als Herz, Kranz oder Hut, gebunden oder geklebt, auch **kleine Anhänger,** die mit Körnern und Kernen beklebt sind.

Nimmt man sich eine Arbeit vor, gibt es oft schon eine konkrete Vorstellung: Ein Sträußchen, das die festliche Tafel schmücken soll oder ein eindrucksvolles Wandgebinde für den Eingang oder…
In jedem Fall ist es nötig, sich vorher genau über die Größe und Form des Gebindes klar zu sein. Es ist ratsam, eine kleine Zeichnung anzufertigen, an der man sich beim Binden orientiert.
Blüten, Füllmaterial und alle gewünschten Verzierungen sind ja schon in ausreichender Menge vorbereitet, so daß man sich ganz auf die Gestaltung konzentrieren kann.

Kleben und Stecken

Kleine Sträußchen können direkt auf einen Untergrund geklebt werden. So lassen sich Ostereier, Herzen und viele andere hübsche Dinge schön dekorieren.
Man kürzt die Stielchen auf die gewünschte Länge, taucht sie in Heißkleber oder bestreicht sie mit Kontaktkleber und klebt sie auf. Ist das Stielchen getrocknet, kommt das nächste dran. Dabei verteilt

man, wie in einem gebundenen Strauß, die Zutaten gleichmäßig in der gewünschten Form.
Will man eine Pappform mit Körnern bekleben, so werden die Materialien zunächst sortiert bereitgelegt.
Kleine Stücke der Pappform werden mit Kleber bestrichen und mit der Hand oder der Pinzette die Verzierung aufgeklebt.
Mit einem Zahnstocher lassen sich die kleinen Teile noch zurecht-

rücken, so lange der Kleber noch nicht fest angetrocknet ist. Sehr kleine Samen werden aus einem Gefäß auf die Klebestelle gestreut und dann festgedrückt.
Bänder und Brokatlitze werden mit Kleber bestrichen – oft reichen einzelne Klebepunkte aus – und auf die Form geklebt. Rundungen lassen sich formen, solange der Kleber noch nicht fest ist.

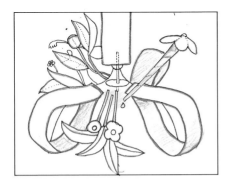
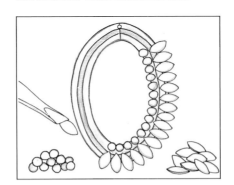
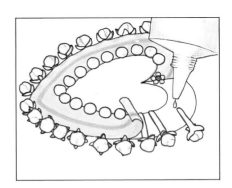

Gesteckt wird in Hartschaummasse. Entweder in Kugeln oder Kränzen, die es in vielen Größen zu kaufen gibt, oder in Hartschaumformen, die man sich für Gestecke aus Hartschaum zurechtschneidet. Mit einem ‚Pinholder‘ und Knetmasse wird eine Hartschaumform auf einem Untergrund oder in einem Gefäß befestigt.

Will man ein Gesteck arbeiten, behalten die Stiele zunächst ihre Länge. Während des Steckens mißt man die richtige Länge einzeln ab und kürzt die Stiele dann entsprechend.
Die Hartschaumform wird so angebracht, daß sie nicht zu sehen ist, oder sie wird mit passenden Materialien verdeckt.

Die Stiele der Ruskussträußchen und Blüten werden für Kugeln oder Kränze auf 2 bis 3 cm gekürzt. Mit einem Tupfer Kleber steckt man sie dicht aneinander ein, bis der Hartschaumuntergrund ganz verdeckt ist. Zu achten ist darauf, daß die Stielchen gleichmäßig tief eingesteckt werden, damit keine Löcher oder Hügel entstehen.

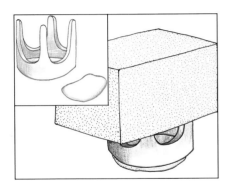

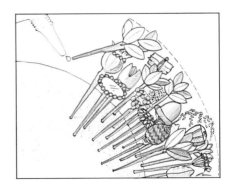

Das Binden von Sträußen, Wandgebinden und Kränzen

Ob es sich um einen runden Vasenstrauß oder ein Wandgebinde handelt, man beginnt beim Binden immer an der Spitze und arbeitet sich Reihe um Reihe vor. Schneidet man sich vorher eine Schablone, kann man während der Arbeit die Form kontrollieren und

Fehler ausgleichen. Soll eine ovale Rundung erzielt werden, bindet man die Reihen 1 cm und mehr nach unten und weniger nach außen. Bei einer kugeligen Form werden die Reihen weiter nach außen und nur etwa 1/2 cm nach unten versetzt.

Drahtringe für Kerzenkränzchen werden aus Wickeldraht gebogen: 2- bis 3fach. Drahtringe in vielen Größen, für große Kerzenkränzchen und Wandkränze, gibt es im Bastelgeschäft zu kaufen. Diese Drahtringe werden mit Kreppwickelband umwickelt, da die Stiele beim Anwickeln an der Oberfläche des Bandes besser haften.

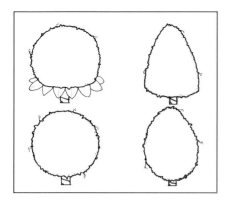
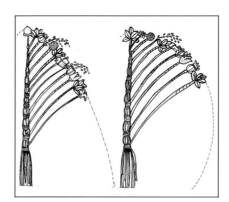
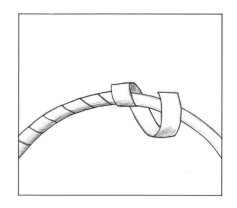

Ein Sträußchen entsteht

Eine besonders schöne Blüte oder ein Zapfen macht den Anfang, drumherum kommen etwa 5 bis 7 Ruskussträußchen. Mit Myrtendraht werden die Stiele 2- bis 3mal zusammengewickelt.

In der nächsten Reihe versetzt man die Reihen etwas nach unten und außen. In jeder Reihe kommen mehr Zapfen, Blüten und Ruskus hinzu. Alle Lücken, besonders um größere Blüten herum, gleicht man durch Ruskussträußchen aus.

Besondere ‚Schmuckstücke‘ wie Spiegel, Perl- oder Bouillonblüten werden gleichmäßig im Strauß verteilt. Nach jeweils 5–6 ergänzten Stielchen wird 2- bis 3mal Myrtendraht um den Straußstiel gewickelt.

Mit Myrtendraht werden einzelne oder mehrere Stielchen an den Ring gebunden. Nach außen werden dabei mehr Materialien gebunden als nach innen. Je nach Größe des Kranzes läßt man die Blüten und Blätter mehr oder weniger vom Ring abstehen. Der Rest der Stiele wird fortlaufend mit angewickelt.

Der Querschnitt zeigt den einheitlichen Abstand der einzelnen Materialien vom Drahtring. Bleiben die Stiele etwa 3 cm lang gleichmäßig im Halbkreis stehen, so bekommt der Kranz eine Dicke von 6 cm. Hatte der Drahtring einen Durchmesser von 20 cm, so mißt der fertig gebundene Kranz außen 26 cm und innen 14 cm.

Wenn die letzten Stiele in den Kranz gebunden werden, wickelt man den Myrtendraht noch einige Male zwischen den bereits angebundenen Materialien durch, bis alles fest am Ring sitzt.

Hat der Strauß die richtige Größe und Form, wird er noch einige Male fest mit Myrtendraht gebunden. Mit Schleifen und einer Manschette beendet man den Strauß.

Dann werden alle Stielchen auf eine Länge gekürzt. Mit Kreppwikkelband werden sie zuletzt sauber zusammengefaßt.
Das Sträußchen ist fertig.

34

Gewürzsträuße
und Gebinde

Schmückende Sträußchen

Das Gewürzsträußchen ganz rechts ist aus vielen Nelken, einigen Mohnkapseln, Zimt und Sternanis mit einer Perle arrangiert. Der Strauß mit grünem Ruskus hat viele verschiedene Zutaten: Eukalyptus, Nelken, gebleichten Baculi, Casuarinazapfen, Ingwer, Ölweide, Erlenzapfen und Blüten aus Stoff, Bouillondraht und Blütenkerne. Mit Sträußchen lassen sich viele hübsche Kleinigkeiten verzieren. Dazu muß nicht immer gebunden werden, kurze Stielchen lassen sich direkt aufkleben.

Dekoriertes Glockenspiel

Verwendet werden:
rosa Samtband und rosa Velourblüten,
wilder Mohn,
Nelken, Perlenblüten,
grüner Ruskus und
getrocknete Gräser.

Zuerst wird als Aufhängung ein ca. 40 cm langes Samtband aufgeklebt, dann, gleichmäßig verteilt, 3 Samtschlaufen. Kleine Ruskuszweige und die verschiedenen Blüten folgen Stück für Stück.

Klebt man mit heißem Leimgranulat oder der Heißklebepistole, trocknen die Stielchen sofort, wird ein Kontaktkleber verwendet, muß man nach jeder Reihe warten, bis sie fest angetrocknet ist. Die Samtschlaufen sind etwa 2 bis 3 cm lang, die unteren Zweige 2,5 cm und die Blüten in der Mitte nur 1,5 cm. Das Ende des Samtbandes bekommt eine kleine, passende Dekoration, es werden wieder Schlaufen, Ruskuszweige und einige Blüten aufgeklebt.

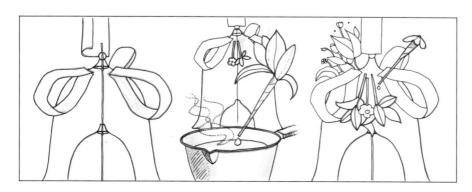

Olivgrüner Strauß

Verwendet werden:

etwa 40 Ruskussträußchen,
Zartgelbe Seidenröschen,
Kandiszuckerstücke,
Gewürzkugeln,
gebleichte Baculi,
Erlenzapfen,
Muskatnuß,
Sternanis,
Galgantwurzel,
mit Bouillon eingefaßte Nelken,
Nelkenblüte ohne Bouillon,
Gewürzblüten auf Pappscheiben,
Samtbänder
in der Farbe des Ruskus.

An der Spitze wird mit einem Seidenröschen begonnen. In der 2.,
wenig nach unten und außen ver-
setzten Reihe, werden um das Röschen 4 Sträußchen Ruskus gebunden. Die 3. Reihe ist wieder etwas
weiter nach unten und außen gebunden, abwechselnd mit Ruskussträußchen, 1 Mohnkugel, 1 Kandiszucker, 1 Galgantwurzel, 1 geblei-
chtem Baculi und 1 Phantasieblüte.
In die 4. und 5. Reihe werden zwischen die Gewürze und den Ruskus noch Seidenröschen plaziert.
In die unterste Reihe kommen zur
Auflockerung schmale Samtbänder in der Farbe des Ruskus. Den
Abschluß bildet eine braune Leinenmanschette. Die Stiele kürzt
man gleichmäßig auf 6 cm Länge
und umwickelt von oben nach unten den Stiel mit Kreppwickelband.

Sträußchen mit gebleichtem Ruskus

Zu den hellen Ruskusblättchen
werden Gewürznelken, Nüsse,
Stoffblüten, Bucheckern und Baculi gebunden.

Kleines Gesteck

Rosafarbene Stoffblumen, Mohnkapseln, Zapfen, Schwarzbeeren
und einige Gewürze werden in den
Hartschaumblock geklebt. Die
Rundung wird durch einzelne Sta-
tizenzweige aufgelockert.

Sträußchen

Viele Variationen sind möglich.
Immer sind die Sträußchen mit
ihren sorgfältig gearbeiteten
Schmuckelementen individuelle
Originale.

Klassische Sträuße

Bei dem Strauß mit brauner Leinenmanschette kommen Blüten
und Gewürze sehr gut zur Geltung, da nur wenig brauner Ruskus
als Füllmaterial benutzt wird.

Grün und weiß sind die traditionellen Hochzeitsfarben. Die weiße
Spitzenmanschette, der grüne Ruskus und die vielen Blüten und

Naturmaterialien machen diesen
Strauß zu einem Prunkstück. Das
bouillonverzierte Spiegelchen darf
nicht fehlen.

Große Sträuße
und kleine Gebinde

Die zwei Sträuße aus braunem
und rotbraunem Ruskus
enthalten alle traditionellen
Elemente wie Nudeln,
Zuckerstücke und viele
Schmuckblüten.
Der oval gebundene Strauß
bekommt statt einer
Manschette viele gelbe
Schlaufen als Abschluß.

Das kleine Herz und die Anstecker sind Ton-in-Ton mit
Velourblättern und verzierten
Nelken gearbeitet. Wenige
helle Schmuckelemente
geben dem Braun Frische.

Silberner Anstecker

Ein Schmuckstück ist dieser Anstecker aus silbernen Brokatblättern, Perlblüten und einigen verzierten Nelken.
Die kleinen Anstecknadeln kann man im Bastelgeschäft kaufen.
Die Klemme wird um die Stielchen der Blätter gelegt und zusammengedrückt.
Kleine Bouillondrahtstücke werden auf die Drahtstiele der Blätter gezogen und festgeklebt.

Ein Meisterstück

Mit einer Vielzahl von Naturmaterialien und künstlichen Elementen ist dieser ovale Strauß gebunden. Samtschlaufen und eine Leinenmanschette, die mit Goldfarbe besprüht wurde, bilden einen angemessenen Abschluß.

46

Wandgebinde

Die zwei Wandgebinde mit hell-
und dunkelbraunem Ruskus sind
klassische Arbeiten in Salzburger
Art. Keine der wichtigen Zutaten
fehlt: Zimt, Sternanis, Nelken, Ingwer, Zapfen und Nüsse, Gewürzkugeln und Blüten aus Stoff, Perlen, Bouillon und Körnern sind enthalten.
Das Detailfoto zeigt, wie dicht
aneinander die Schmuckelemente
gebunden sind.

Bäumchen und Wandgebinde nur aus Naturmaterialien

Mit vielen geklebten Blüten, Nüssen, Zapfen, Ruskus und Statizen werden Bäumchen und Wandgebinde gearbeitet. Die farbenfrohe Wirkung wird durch den rotgefärbten Mais erzielt, aus dem einige Gewürzblüten geklebt sind.

Die Rückseite zeigt, wie das Gebinde gestaltet wird: Die Spitze wird steil gearbeitet, dann werden die Stiele weit nach außen gebunden, um die bauchige Mitte zu formen. Zum Schluß werden einige Reihen wieder kürzer gebunden. Lorbeerblätter umrahmen das Bukett.

Nelkenbaum

Der Nelkenbaum steckt in einer besonders schönen Aloerinde, einige Steinchen verdecken die Gipsfüllung. Ein Birkenzweig als Stamm trägt die Baumkrone, die ganz aus Nelken und nur mit etwas Bouillondraht verziert ist. Einige Blätter und das Samtband verdecken die Ansatzstelle von Kugel und Stamm.

Grüner Baum

Seine prächtige Krone ist aus vielen geklebten Gewürzblüten und verzierten Gewürzstücken gesteckt. Zur Größe des Baumes, er hat eine Länge von 60 cm, passen die größeren Zapfen, Bucheckernhülsen und Körnerbällchen besonders gut. Geschmückter Sternanis, Perlblüten und Bouillondrahtblüten setzen Glanzpunkte zwischen die natürlichen Materialien.

Gräserbaum

Verschieden getrocknete Gräser und Kapblumen werden zu einer üppigen Baumkugel gesteckt. Beige und rosa Schleifenbänder harmonieren mit den Farben der getrockneten Naturmaterialien.

Apfelbäumchen

Rosa Lackäpfel und Statizen sind die einzigen Materialien, aus denen die Baumkrone gesteckt ist. Einige rosa Samtschleifen und Bänder zieren den Stamm.

Großer Baum
in Weiß und Gelb

Ginster, gelb-weiße Blüten und
Blütenknospen und grüne Blätter
aus Seide werden mit viel weißem
Schleierkraut und weißen Statizen
kombiniert. Bucheckernhülsen und
Gräser setzen die hellbraunen
Farbakzente. Schleifen und Bänder
verzieren den Stamm.

Rustikales Bäumchen

Berggras, verschiedene Zapfen und geklebte Blüten bilden die Baumkrone, die auf einem Stamm aus einem Bananenstiel sitzt.

Das Eingipsen von Bäumchen

Der ‚Baumstamm' wird in einen Plastikbecher oder einen einfachen Blumentopf eingegipst.
Danach wird die Hartschaumkugel fest auf das obere Ende des Stieles gedrückt, so daß ein Loch in der Kugel entsteht. Das Stammende wird mit Kontaktkleber bestrichen und die Kugel darauf geklebt. Ist die Klebestelle getrocknet, kann das Bäumchen mit Knetmasse in einem Übertopf befestigt und besteckt werden.

Herzchen in Blau

Auf eine Herzform werden blaue
Stoffblumen, Silberbouillonverzie-
rungen mit blauen Perlen und
einige Nelken geklebt. Ein blaues
Samtband paßt als Aufhänger
zu diesem Glücksbringer.

Hutsträußchen

Ein kleines Sträußchen mit grünen
Seidenblättern, gelben Seidenröschen und einigen Nelken ist als
sommerliche Dekoration für einen
Strohhut passend.

Kugel in Pastellfarben

Blaue und beige Kapblumen sind
mit zarten Gräsern und einigen Erlenzapfen zu dieser duftigen Kugel
gesteckt.

Nelkenkugel

Verwendet werden:

Nelken,
Velourblüten,
Schleifen,
1 Spiegelchen,
Sternanis,
Galgantwurzel.

Die Hartschaumkugel wird ganz mit Gewürznelken besteckt: Eine kleine Fläche wird jeweils mit Kontaktkleber bestrichen, dann die Nelken dicht aneinander mit dem Hals in die Kugel gesteckt, so daß nur der Nelkenkopf herausschaut.

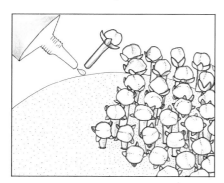

Im oberen Teil wird die Kugel mit verschieden großen Schlaufen und angedrahteten Gewürzen, die ebenfalls in die Kugel eingeklebt werden, verziert.

Große Kugel

Grüner Ruskus wird mit bordeauxroten Seidenrosen und Bändern und vielen verschiedenen geschmückten Gewürzen und Blüten in eine Hartschaumkugel von 12 cm Durchmesser gesteckt.

Kleiner Velourhut

Verwendet werden:

Spiegel,
Seidenröschen,
Perlblüten,
wilder Mohn,
Zimt, mit Perlen und Bouillon,
Goldborte,
Nelken.

Der ‚Hutrohling' wurde fertig gekauft. Er hat einen mit Velour besprühten Rand und eine Hartschaummitte, in die die Materialien eingearbeitet werden.

Bei dem hier gezeigten Modell wird in der Mitte mit einem Spiegel begonnen. Anschließend kommen bordeauxrote Seidenröschen, wilder Mohn, weiße Perlblüten mit einer bordeauxroten Perle als Blütenstempel, mit Perlen und Bouillon verzierter Zimt und etwa 120 Nelken hinzu. Gearbeitet wird in Reihen von innen nach außen. Der hochstehende Rand des Mittelteiles und der obere Rand werden mit einer Goldborte verziert. Auf die Nahtstelle der unteren Goldborte werden einzelne, verschieden lange Schlaufen zu einer Schleife geklebt.

62

Brauner Hut

Will man sich den Rohling selber herstellen, so wird eine Pappscheibe (z.B. eine Tortenunterlage) von etwa 29 cm Durchmesser mit Stoff bezogen. Eine Hartschaumscheibe von 5 cm Höhe und etwa 16 cm Durchmesser wird daraufgeklebt. Die Ränder der Hartschaumscheibe werden mit einem stoffbezogenen Pappstreifen, der einige Millimeter höher ist als der Hartschaum, umklebt. Mit Bändern werden die Seiten zusätzlich dekoriert, in die Fläche werden Gewürze und Blüten gesteckt und geklebt, wie bei einem fertig gekauften Hutrohling.

Pappscheibe mit Stoff beklebt.

Hartschaum wird aufgeklebt.

Ein stoffbezogener Streifen Pappe verdeckt den Hartschaum.

Der fertige 'Rohling'.

Bilderrahmen

Auf einen quadratischen, dunkel gebeizten Bilderrahmen werden mit Gurkenkernen kleine Blüten geklebt, die in der Mitte eine Wacholderbeere als Blütenstempel bekommen.

Spiegel

Ein runder Spiegel mit 12 cm Durchmesser wird auf einen starken Karton aufgeklebt und mit Zackenkrausbouillon eingefaßt. Der Rand ist mit Kürbiskernen, Piment und grünen Sojabohnen beklebt. Wichtig ist es, die Kerne vorher zu sortieren.
Es wird immer nur ein kleines Stück der Fläche mit Kleber eingestrichen und beklebt. So arbeitet man Stück um Stück, bis der ganze Rand verziert ist.

Herzlicher Wandschmuck

Das Herz aus Nelken und Brokat-
band ist mit Naturmaterialien,
Velourblättern, einigen Perlen und
einer Bouillonblüte geschmückt.

Muttertagsherz

Verwendet werden:

grüner Ruskus,
Drahtherz,
Samtband,
Perl- und Bouillonblüten,
Stoffblüten,
geklebte Blüten,
Ingwer, Sternanis und Zimt,
Erlenzapfen,
Nüsse,
Mohnkapseln,
Baculi- und Bucheckernhülsen,
Eukalyptus.

Das Drahtherz kann man in verschiedenen Größen in Bastelgeschäften kaufen. Es wird mit Kreppwickelband umwickelt. Die vorgefertigten und an 5 bis 6 cm langen Myrtendraht angedrahteten Teile werden gleichmäßig um die Herzform gebunden. Die Herzmitte wird durch einige Samtschlaufen betont.

Geklebtes Herz

Nelken und Piment werden auf ein Pappherz geklebt. Die Nelkenstiele werden durch ein Band verdeckt, in die Herzmitte wird ein kleines Arrangement geklebt.

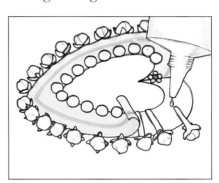

Großer Gewürzkranz

Verwendet werden:

1 Drahtring von 20 cm
Durchmesser,
etwa 250 an Myrtendraht
angedrahtete Ruskussträußchen,
Gewürzblüten auf Pappscheiben,
Mohnkugeln,
Bouillon- und Perlblüten,
mit Bouillon verzierte Ingwerstücke,
Muskatnüsse und Haselnüsse,
mit Bouillon verzierte Zimtstücke,
Bucheckernhülsen,
Nelken mit Bouillon verziert,
Mohnkapseln,
Sternanis,
Stoffblüten.

Der Drahtring wird mit Kreppwikkelband umwickelt. Von der Myr-
tendrahtrolle schneidet man sich
etwa 50 cm lange Stücke ab, um
beim Binden die Rolle nicht mit
durch den Ring führen zu müssen.
Ruskussträußchen und schmük-
kende Elemente werden abwechselnd an den Ring gewickelt. Die
schönsten Blüten sind gut sichtbar
und gleichmäßig im Kranz verteilt.

68

Heller Kranz

Die meisten Materialien dieses Kranzes kann man bei einem Herbstspaziergang finden: Statizen, Hafer, Nüsse, Mohnkapseln, Eicheln und Erlenzapfen. Einige Nelken und eine braune Samt- schleife kommen hinzu. Auf der Rückseite ist sichtbar, wie die Samtschleife aus einzeln angedrah- teten Schlaufen und Bändern zu- sammengesetzt und in den Kranz gebunden ist.

Festlicher Kerzenschmuck

Viele goldfarbene Materialien wie Casuarinazapfen, Bouillonblüten, Nelken mit Goldbouillon und Perlen und Seidenrosen geben dem Kerzenschmuck eine besonders festliche Note.

Um eine Kerze wird ein Ring aus 0,8 mm starkem Silberdraht gelegt. Der Durchmesser wird um etwa 2 cm vergrößert: Um soviel wird der Durchmesser durch das Binden des fertigen Kranzes wieder

kleiner. Der Silberdraht wird mit
Kupferdraht zusammengebunden
und mit Kreppwickelband
verkleidet. Darauf werden die
Materialien gebunden.

Tafelfreuden

Ein Kerzenkränzchen, ein Serviettenring und ein kleines Sträußchen
sind einheitlich mit Nelken, Bouillonverzierungen und rosa Velourblüten gestaltet.

Für den kleinen Strauß werden
etwa 80 Nelken angedrahtet.
Der Kerzenkranz ist auf einen Rohling aus Silberdraht gebunden,
der mit Kupferdraht zusammengefaßt und mit Kreppwickelband
umkleidet wird.
Der Serviettenring ist eine Klebe-

arbeit. Über einen Papp- oder
Kunststoffring, der etwa 2 cm breit
ist, wird eine Borte geklebt, die
etwa 2,5 cm breit ist, so daß sie an
beiden Seiten etwas übersteht. Ein
kleines Arrangement wird auf die
Mitte des Ringes geklebt.

Der Serviettenring.

Das Kerzenkränzchen.

73

Ein farbenfroher Osterstrauß

Verwendet werden:

verschiedene Gewürze,
Samtband,
Ruskus,
Perlenschnur,
Nelken,
Mohn,
Erlenzapfen,
getrocknete Gräser,
kleine Seidenblüten.

Auf matte Plastikeier, die den natürlichen sehr ähnlich sehen, werden mit Kontaktkleber aus Gewürzen Blüten, Ornamente, Häschen
und Küken geklebt. Mit schmalen
Samtbändern und einzelnen Ruskusblättchen werden die Eier weiter geschmückt.
Den oberen Teil des Ostereies
kann man mit Kontaktkleber oder
mit Leimgranulat oder der Heißklebepistole kleben. Das Granulat
und die Klebepistole haben den
Vorteil, daß alles sofort fest haftet,
während ein Kontaktkleber längere
Zeit zum Trocknen braucht.
Eine längere Schlaufe aus Samtband oder Perlenschnur als Aufhänger wird zuerst befestigt.
Drumherum werden kleinere
Schlaufen, Ruskuszweige, kurz angedrahtete geschmückte oder un-
geschmückte Nelken, Mohn, Erlenzapfen, getrocknete Gräser und
kleine Seidenblüten arrangiert.

Gesteck auf einer Wurzel

Verwendet werden:

Knetmasse (Oasis-Fix),
‚Pinholder' und Hartschaum,
grüne Ruskuszweige,
Eukalyptus,
Erlenzapfen,
Schuppenhagebutten,
Mohn, Sternanis und Nelken.

Auf eine Wurzel wird mit Knetmasse ein ‚Pinholder' geklebt. Ein
kleines Stück Hartschaum wird auf
den Pinholder gesteckt.
Die Materialien werden in verschiedenen Längen, entsprechend
der Form der Wurzel, in den Hartschaum geklebt. Um einen festen
Halt zu erzielen, bestreicht man die
Stiele mit etwas Kleber.

Gerahmte Bäumchen

Auf exotische Bananenstiele werden 2 Hälften einer Hartschaumkugel geklebt und mit Ruskus und
Schuppenhagebutten besetzt.

Adventskranz

Um einen Strohkranz wird Juteband gewickelt. Anfang und Ende werden mit Stecknadeln befestigt. Kerzenhalter aus Holz, die man im Bastelgeschäft kaufen kann, werden mit Gewürzen beklebt und in gleichmäßigem Abstand auf dem Kranz angebracht. Zwischen die Kerzenhalter kommen 4 gleiche Dekorationen aus Schleifenband, Ruskus, Zimt, Stoff-, Bouillon- und Gewürzblüten. All diese Materialien sind an 3 bis 4 cm langen Wickeldraht angedrahtet. Mit einem Spieß oder einem größeren Nagel werden zunächst Löcher in den festen Strohkranz gebohrt, in die dann die Wickeldrahtstielchen eingesteckt werden.

Weihnachtsanhänger

In Bastelgeschäften bekommt man viele verschiedene Motive als ausgestanzte Form zu kaufen. Aus starkem Karton kann man sich auch selbst Anhänger ausschneiden.

Überlegen Sie zuerst, welche Gewürze aufgeklebt werden sollen. Das Sortieren vorher ist sehr wichtig, um eine schöne Kombination der Farben und Größen zu erhalten.

Bei den gezeigten Anhängern werden zum Beispiel weiße Pfefferkörner und grüne Sojabohnen auf einen kleinen Stern geklebt. Die Mitte schmückt eine Blüte aus Ölweide, Gurkenkernen und einer Wacholderbeere als Blütenstempel. Ein anderer Stern wird mit Nelkenköpfen, weißen und braunen Perlen geschmückt.

Ein Mädchen hat Schuhe aus Akazienkernen; Strümpfe, Hände und Gesicht sind Sesamkörner, der Rock ist aus Gurkenkernen, die Bluse aus grünen Sojabohnen und die Haare sind aus Hanf geklebt. Auf einen kleinen Tropfen kann man einen Spiegel kleben. Der Rand des Spiegels und der Form wird mit Bouillon eingefaßt und der Zwischenraum mit Sesamkörnern ausgefüllt.

Kleine Sträußchen

Kleine, einseitig gebundene Sträußchen machen Geschenke noch wertvoller. Sind die Päckchen ausgepackt, so sind die wohlriechenden Sträußchen individuelle Andenken.

CIP-Kurztitelaufnahme der Deutschen Bibliothek

Ott, Anneliese:
Hobby Gewürzsträuße und zauberhafte Gebinde nach
Salzburger Art / Anneliese Ott. (Fotos: Werneke; Carla Damler.
Zeichn.: Zora Davidović). – Niedernhausen/Ts.:
Falken-Verlag, 1984.
  (Falken-Bücherei)
  ISBN 3-8068-0726-4

ISBN 3 8068 0726 4

© 1984/1986 by Falken-Verlag GmbH,
6272 Niedernhausen/Ts.
Fotos: Carla Damler, Taunusstein;
Fotostudio Werneke, Neuhof
Zeichnungen: Zora Davidović, Wiesbaden
Layout und Redaktion: Ingrid Diemel, Wiesbaden
Die Ratschläge in diesem Buch sind von Autor und Verlag
sorgfältig erwogen und geprüft, dennoch kann eine Garantie
nicht übernommen werden. Eine Haftung des Autors bzw.
des Verlages und seiner Beauftragten für Personen-, Sach-
und Vermögensschäden ist ausgeschlossen.
Satz: TypoBach, Wiesbaden
Druck: Appl, Wemding

817 2635 4453